SUDOKUPUZZLES

Dear Reader,

Welcome to the second issue of our fantastic, pocket-sized magazine, featuring 100 brilliant Sudoku puzzles.

I hope you'll already have noticed, but this magazine isn't just about amazingly good puzzles! Sudoku Puzzles is also great value: the same number of puzzles as a paperback, for a fraction of the cost!

If you're new to Sudoku, let me assure you that the rules are straightforward. If you can count to nine, you can – in theory – tackle any Sudoku puzzle!

The Editor

How to Solve Sudoku
Simply place a number from 1-9 in each empty cell so that each row, each column and each 3x3 block contains all the numbers from 1-9. (This means that no number can appear twice in any row, column or 3x3 box.)

CONSUMER: SUBSCRIPTION ORDERS/ENQUIRIES: Telephone Galleon 0870 787 9306. Overseas callers +44 (0) 1795 412 842 (08:30-18:00 Mon-Fri) or Email puzzler@galleon.co.uk or write to: Sudoku Puzzles Magazine, PO Box 453, Sittingbourne ME9 8WT. Subscribe via website: www.puzzler.co.uk.
EDITORIAL ENQUIRIES: Annette Lillywhite 01737 378781, annette.lillywhite@puzzlermedia.com General enquiries: 01737 378700 enquiries@puzzlermedia.com. WRITE TO: Sudoku Puzzles, Puzzler Media Ltd, Stonecroft, 69 Station Road, Redhill, Surrey RH1 1EY. TRADE: ADVERTISING: The Insert House, 020 7053 2083, The Old Truman Brewery, Brick Lane, London E1 6QL. Newstrade distribution: Advantage, Associated Newspapers, Northcliffe House, 2 Derry Street, Kensington, London, W8 5TT, 0207 938 6000 MARKETING: Senior Sales Promotion Manager: Michelle Roberts; Sales Promotions Executive: Shameem Begg, Marketing Manager: Sarah Brown; Marketing Executive: Michelle Halpin. SYNDICATION ENQUIRIES: Tony Bashford 01737 378715, tony.bashford@puzzlermedia.com.
EDITORIAL: Managing Editor: Trevor Truran. Editor: Tatiana Gavrilova. Design: Stuart Neil. Publishing Director: Tim Preston. PRINT: Printed in the EU.

1

		7				9		
6			7		4			8
	8	3	1		6	7	2	
	4	2		5		3	8	6
	1	5		6		2	4	
	6	8	2		9	4	5	
3			4		8			2
		4				8		

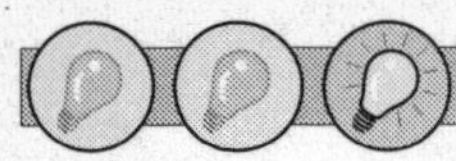

2

2					6			
		3	9	5			8	
	4	9	8					6
	2			4	5	9	6	8
	7			8	9	2	5	1
	3	2	5					4
		8	4	7			2	
4					3			

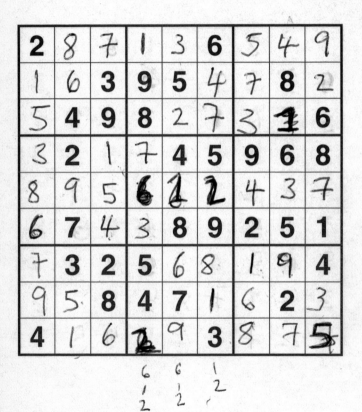

3 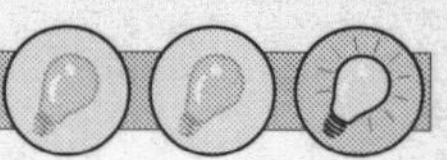

1			2		8			5
		2				1		
	7		5		1		9	
2		4		9		5		8
			1		3			
7		9		5		3		2
	6		4		2		3	
		1				9		
8			3		9			1

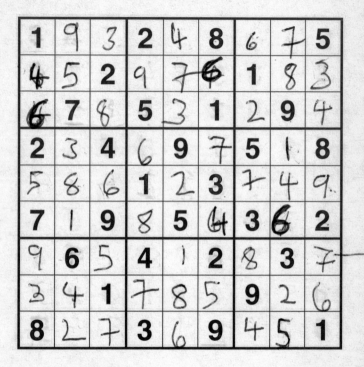

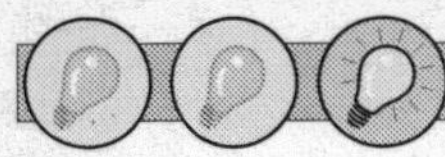

4

							3	6
9		3		8				4
	1		2		6	8		
1	7				3	9		
			4		7			
		8	6				7	1
		1	3		2		5	
6				9		1		7
8	2							

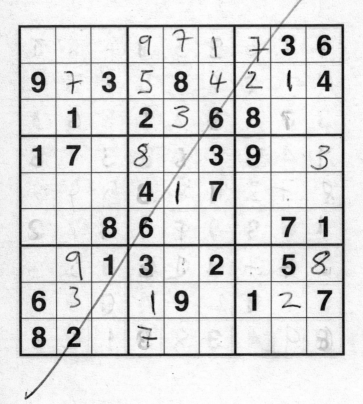

5

		6			1			
4		1			8		3	
3	8		4			5		
	4		7			3	1	8
	6		8			2	7	5
2	3		9		6	8		
5		8			4		9	
		4			5			

6

7	8	1	9	2	6	3	4	5
9	**6**	**4**	3	7	5	1	**8**	**2**
3	5	2	**8**	**1**	4	**6**	**9**	**7**
6	2	8	4	5	**1**	7	**3**	**9**
4	**7**	**5**	**2**	3	9	8	1	6
1	9	3	7	6	**8**	2	**5**	**4**
2	1	7	**5**	**9**	3	**4**	**6**	**8**
8	**3**	**9**	6	4	7	5	**2**	**1**
5	4	6	1	8	2	9	7	3

7

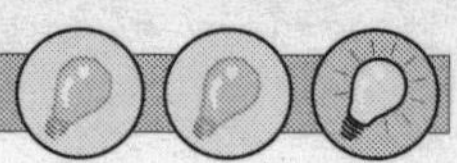

					8	4		
		9	6	4			2	
	4							9
	9				2	5	7	
	7			3				
1			9		6			2
2			3					1
	8		1					4
		1			5	8	6	

8	3	4	1	6	7	9	5	2
7	2	9	**3**	4	**5**	1	8	6
6	**1**	5	2	**8**	9	3	**7**	4
4	5	1	6	3	2	8	9	7
3	**7**	**6**	9	5	8	**2**	**4**	1
9	8	2	**4**	7	**1**	6	3	**5**
1	4	**8**	7	**2**	3	**5**	6	9
2	**6**	**3**	**5**	9	**4**	**7**	**1**	8
5	9	**7**	**8**	**1**	**6**	**4**	2	3

2 9 2

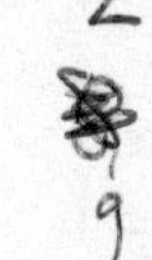

9

				5				
	7	3			2	1		
	6		8				9	
				1			4	
		6			8			9
8	5	1				2		
	8		5	2			3	
		2	1			4	7	
5			9					

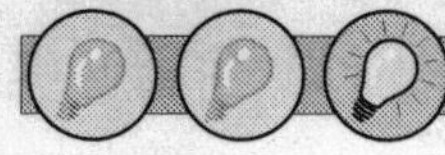

10

			5	6			1	9
7		1			9	4	5	
	5					8	2	
			7	4		3		
	3					7	4	
3		8			6	9	7	
			8	1			3	4

11

	2		3		5		8	
4	6		7		2		3	9
		7	4	5	1	8		
				2				
	4	5				3	9	
		8		6		4		
		2				6		
	3						5	

12

	7		8		1		9	
9				3				5
			9	5	7			
1		9	4		5	2		3
	2	5				7	8	
3		7	2		8	4		1
			7	4	9			
6				8				7
	5		1		3		2	

13

			6					
		2			3	4		
	5	9						2
7				5	4	3		
			1		9	2		6
	9		7	6				
	2		9	7			8	
						7	1	4
		5		8			2	

14

			8					
		2		1	5			4
	7			2		5	1	
		8	7					
	1		4	3		2		6
		6	2					
	2			7		8	3	
	4			9	8			5
			3					

15

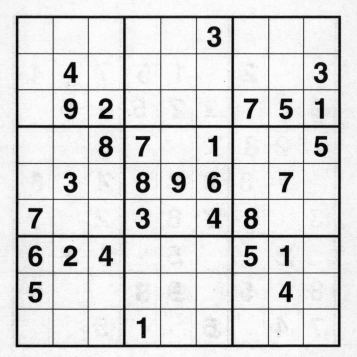

					3			
	4							3
	9	2				7	5	1
		8	7		1			5
	3		8	9	6		7	
7			3		4	8		
6	2	4				5	1	
5							4	
			1					

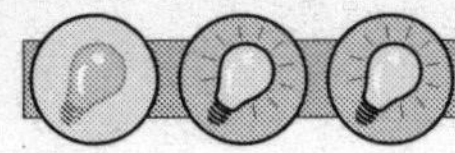

16

		2				7		
9			2	7	5		6	
	2					9		
	1	8	9	3		4		
3			7	8		2		
	3			5			9	
8		5		9	1			
7	4		6			5		

17

		2	9		3	4		
	4		5		7		2	
1			4		2			5
2	6	5				7	8	4
				2				
3	8	4				1	9	2
5			2		8			9
	9		3		6		7	
		8	7		1	5		

18

1			4			7		
	9	6		8			1	
		8			4			
	1	2	9			3		
9	3	4		6			2	
6			3	4	7	1		
			8	9		6		
		1	5				4	

		5						
			3	4				6
	6	9		8			2	1
		4	7				8	
					2	9		
		3	6				4	
	8	7		6			5	9
			1	9				8
		6						

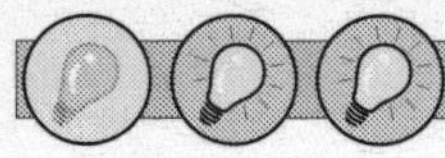

20

	1		2		4		3	
	5	7				1	9	
	2			1			8	
			6	3	1			
	3						2	
			7	2	9			
	4			7			6	
	7	2				5	4	
	9		3		8		7	

21

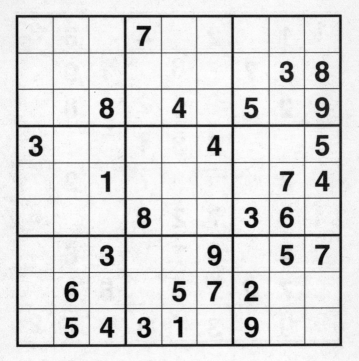

			7					
							3	8
		8		4		5		9
3					4			5
		1					7	4
			8			3	6	
		3			9		5	7
	6			5	7	2		
	5	4	3	1		9		

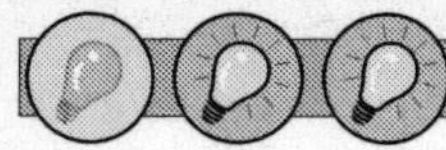

1								3
		4		8		2		
	3		9		2		8	
3			4	9	8			1
			5		7			
7			6	1	3			5
	5		2		9		7	
		3		5		9		
9								2

23

	1	7		3				
					4	7	8	
	7			4	2			1
8		5	1		6	3		9
3			5	9			4	
	5	2	7					
				5		4	6	

24

					3	2		
				4				8
	7			6			4	3
					1		3	5
	8	6		7		9	2	
7	5		4					
3	4			5			7	
6				1				
		2	7					

25

						7		9
6			9					
			8		2		3	6
8						9	4	
2	4		7		3		8	1
	3	6						2
7	9		2		1			
					6			8
3		1						

26

							8	
3	6		7				5	9
		8		9		7		
			1					
4	8		6			1		
1				7	9		4	
	7					4		
5		1		4			9	
	4		9	6			2	

27

		5	9			7		6
	7			1	3	9	5	
	8					2		7
		3		6			1	
		2					3	5
	6	4	3					
		8		7	5			
	1		2		4			

28

				3				
		4			1			
	2		4			6		
	4		1				3	
1			6	7				5
6		5		9	4	1		
	1	9	3				7	
7		3			9	2		
	5		7	2				

29

5			1		4			3
		6		9		8		
3		2				9		8
7			4		2			1
4	2		5		6		1	9
	9	5		3		7	2	

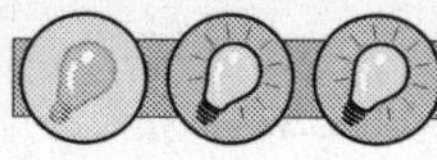

30

		8				6		
	1			7			4	
	5	3	1		8	9	7	
6								1
5			7		9			8
	8		5		2		3	
3		9	8		1	5		4

31 

			3		4		5	1
			7			2		3
		3				7		
8	7		4				1	
								8
5					1		3	7
	6	9					7	
3			2		6	8		9
4	8			3	9		6	

32

								6
		2	9		7	5		3
				5			9	
	1	8			6		5	
	7	6				3		
	5	3			9		4	
				8			3	
		1	6		5	2		9
								1

33

2			4		7			1
	4	1				6	5	
5		4				2		9
1			6		2			5
		3		4		5		
		6	1	3	5	9		
9	7						1	4

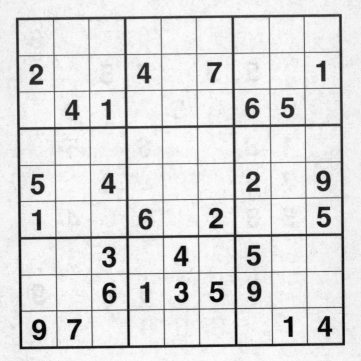

			5		8			
		5				2		
			2		3			
1								6
	3						1	
	2	6	1		7	5	4	
		2				7		
6		3				9		5
7			3	8	9			2

35

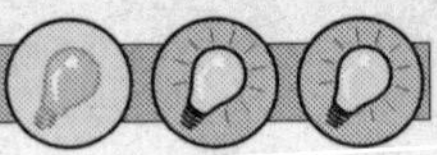

					9			
		3		4				
				8		3	4	1
		8	6				1	4
	5	4	9		8	6	3	
3	2				7	9		
7	9	2		3				
				7		5		
			1					

9					7	4		
	8	5			2			7
2			7	6				1
4		9				3		6
1				5	9			2
3			8			2	1	
		2	5					3

37

			8					
				1		4		
6	4	2		5			8	
5	9		3					
			5			1	4	
				8	7			2
	2					6		
8		9			6	2		
	3				8	7		

38

	4				8		3	
						4		8
		2		3			9	
		8	9					3
	2	7	8			6		
	3			1	6			
2				8	1	7		
			3	5				1
1		9						

39

		4						6
	7	5				3	8	
1	9		8	3	4	5		
			9	4	5	7		
					1			
			3	7	6	8		
5	1		4	6	8	2		
	4	9				6	5	
		8						1

	9							
		5		9		4		
2	4		8					6
		7		6			5	9
		3	1		9	8		
6	1			5		2		
8					3		1	7
		2		8		3		
							2	

41

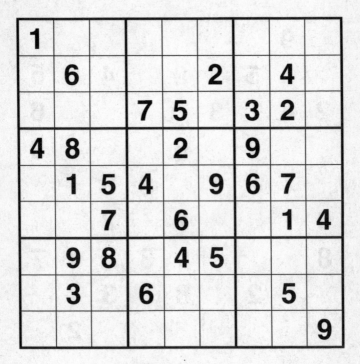

1								
	6				2		4	
			7	5		3	2	
4	8			2		9		
	1	5	4		9	6	7	
		7		6			1	4
	9	8		4	5			
	3		6				5	
								9

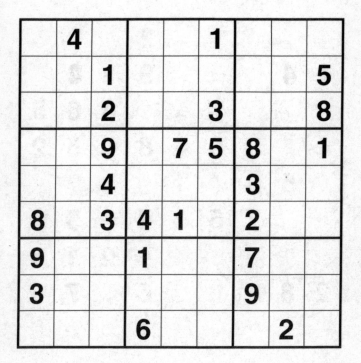

42

	4				1			
		1						5
		2			3			8
		9		7	5	8		1
		4				3		
8		3	4	1		2		
9			1			7		
3						9		
			6				2	

43

					2			
1	4				9		2	
						4	6	5
		3	9		8		5	2
	5	6		1				
		7	5		4		9	6
						2	1	3
2	8				6		7	
					1			

44

		8						
	9			4	7		8	
7	3	5	2	8				
		3	6	2			5	
	2				3	7	6	
					1	2		
					2	5		6
4				1		9	7	
3	5					4		

45

8	9	3						
2	7							
5			7			2	1	
		6			3	4		2
					7	8		
			8	2			9	1
		7	2	6				
		8			5		3	
			4		1			

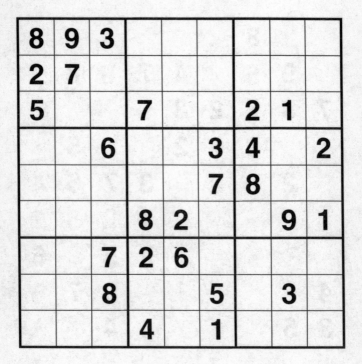

	1			2			9	
		5				8		
7			5		9			3
5		9	3		2	6		4
3	7						5	2
		6		8		2		
9								8
			6	7	5			

47

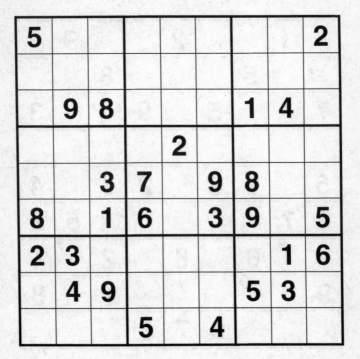

5								2
	9	8				1	4	
				2				
		3	7		9	8		
8		1	6		3	9		5
2	3						1	6
	4	9				5	3	
			5		4			

						3		
			9	6			8	
3	8					7	5	
2	5			7				
	9		8		6		4	
				5			6	7
	7	5					9	1
	6			9	7			
		1						

49

5						8		
	6	4						
			1		9			7
						7		
6		9	8					
	3			6		5		
	1			4			3	
4		6	5				9	
	2			8				6

50

7		4				1		5
			2		6			
2								9
	4		5		9		8	
	5		6		7		3	
	9	7	1		4	2	5	
	2		3		5		7	
	3	5				6	9	

51

			2			5	1	9
				1	8		6	4
	5			8			7	
		3	4			8		
		4				9		1
	8			2	4			3
	4	6	3					
	7	2			1	6		

52

		9				6		
			4	8	6			
6			1		7			4
	6	2	7		3	4	1	
	4						5	
	7	1	8		4	9	3	
2			3		1			5
			2	4	5			
		5				1		

53

	4	5	7		3	9	8	
7			8		9			1
8								3
4	3			1			6	5
			6		7			
6	9			5			2	8
9								2
3			2		6			7
	8	6	1		5	4	3	

54

								7
				8	9		1	
			2	1		3	5	9
		8				7		4
	9	1		3	4		8	
	4			7				3
		5	7					
	1	7		9				5
4		3	1		2		7	

55

			1					
						3	5	
7	2	8			3			6
6		7			2		9	
2				1	7			3
5		4			8		7	
8	5	1			9			7
						1	3	
			6					

56

4					1		9	
			6		2		5	
			5			8		
9		7		3			2	1
		5	1		4	7		
1	8			5		6		3
		1			9			
	6		4		5			
	7		2					5

57

	2						4	
6		4	9		3	5		8
			5		4			
	4	7				8	9	
		2				7		
	9	6				4	5	
			1		9			
4		5	2		6	9		1
	1						3	

58

	4	1				8	2	
9		8				6		7
		2		7		9		
			8		6			
1			2		9			4
	6	4	9	8	7	3	5	
	1	3		5		7	9	
		5		6		4		

59

	8						5	
		4	6		9	8		
1	7						9	6
		5	9		3	6		
			5		1			
		1	7		6	3		
3	6						4	8
		8	4		2	5		
	4						2	

60

3								1
		1	7		2	3		
	8						7	
			1		4			
		3				5		
		9	6	7	5	8		
9			4		7			2
6								5
	3	8		2		1	4	

61

		4	2	3	9	8		
	2	7		4		9	5	
	8	2	9		1	5	3	
			5		7			
	6	5	4		3	2	7	
	4	1		7		3	6	
		8	6	1	2	7		

62

						3		
2		7		6	3	4		
							5	1
5	3			9			4	
1		8	6		2		9	
				8				
				5			2	
9					8			
7	2			4	9		3	

63

2								4
				7				
	5	4				3	1	
	2						3	
	8	9				1	7	
6	4	7				5	9	2
	3		6		4		5	
		8	1	9	5	7		

64

		7						3
			1		2		5	
			8		9			
8			4		3	1	9	
	1		2					
	6			1	5	3	8	
7	5	6						4
		9	5	4				
		3			7			

65

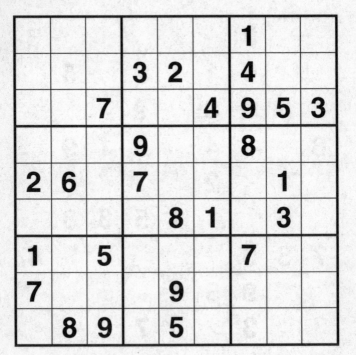

						1		
			3	2		4		
		7			4	9	5	3
			9			8		
2	6		7				1	
				8	1		3	
1		5				7		
7				9				
	8	9		5				

66

		3						
		6		1			4	
	8	4	2	9	7			
					1	7		
9	5		6			4	3	
				5		6		
8						2	9	6
				4		5		
3		9		8				

67 

				4	2		8	5
		5			7	9	2	3
					9	3		7
	2			8			6	
7		3	6					
3	5	8	9			4		
4	7		8	2				

	1						5	
		6		4		7		
	7	2	1		6	4	9	
	3	7	8		4	2	6	
	5	4	2		1	9	3	
	4	8	3		9	1	7	
		1		2		5		
	6						2	

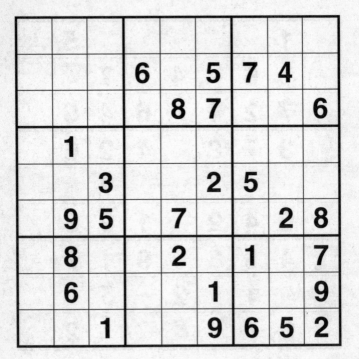

69

			6		5	7	4	
				8	7			6
	1							
		3			2	5		
	9	5		7			2	8
	8			2		1		7
	6				1			9
		1			9	6	5	2

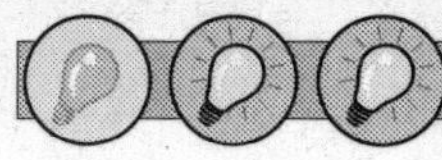

								1
		4	8				7	
	8	1	9	7	6		3	
	9	7			1	4	5	
		6						8
		3	4					
			6				1	
	4	9	1			3		
5				8				

71

				8			5	
					4	2		
		6	2		1			
	9	5		4		6	2	
	6	4	3		2			
	8	2		5		4	9	
		7	8		6			
					5	8		
				7			1	

							8	7
		1				2		6
			2	3			4	
	2			8	1	6		3
		8				7		
9		3	7	4			2	
	3			2	9			
5		4				9		
1	9							

73

3			5			1		
		1			4			9
6					1		4	
		2		9			5	7
		9		1			2	
		3		4			9	1
7					9		8	
		5			8			3
9			3			6		

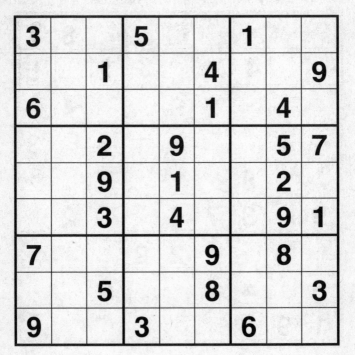

74

9				8				3
		4	7		3	1		
	3		2		1		4	
	2	1				4	9	
3								8
	8	7				3	2	
	9		6		7		3	
		3	8		5	2		
8				3				7

75

		1				9	7	
	7					6		4
6				2				
					3		6	
		5		6		1		
			4					9
8	1			7			9	
9			6			7		2
	2				1		3	8

76

	2			3			4	
9		4				5		1
	5		1		4		8	
		5	3		7	4		
4								8
		1	5		8	7		
	4		7		1		9	
3		7				8		5
	6			5			7	

77

							8	
					5	9		4
	5	3		6			7	1
		8		4	7			
2		9		3		8		7
			1	8		3		
4	2			7		5	1	
5		1	6					
	8							

78

			4					
				5		3	4	9
		7			8	2		
1				8				2
	4		2					
		2				8		4
	8	9			6	4		3
	1							6
	2		3		7	5	9	

79

			6					
			1			7	8	5
	5				8	4		
4	3	8		2				7
	6							3
5	7	2		6				1
	2				5	3		
			8			5	7	2
			9					

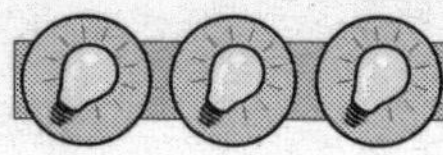

80

4				7				9
		1				6		
			4	8	2			
	4						8	
3			9		4			5
		6				2		
6	8	5				1	3	2
1		7	2		3	4		8

81

		2		5			3	
			6			2		
	8				7	6		9
		5	2				1	3
	1			9			8	
		8	3				4	2
	4				2	3		8
			8			1		
		9		3			6	

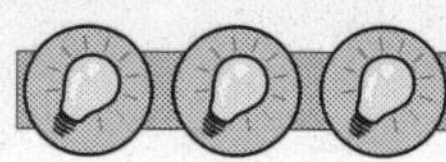

82

7						3		
			7		1	6	4	
	1	4						5
			5	2			6	
5			3		4			9
	4			9	6			
3						5	8	
	7	8	2		3			
		1						7

83

	7		5		3		1	
1				2				7
		4	1		6	5		
8		7				1		5
	5						7	
4		2				9		6
		6	3		9	8		
9				6				4
	2		8		1		6	

84

		2						
			6	4		8	3	
9		4			5		2	
4						9		
	2						6	
	7	1	2				4	
			5			6		3
7			3	8				
	3				7	1		

85

		9	7		3	6		
1			8		5			4
	5	1				2	6	
	2			5			3	
4								5
		7				3		
6			3		8			1
	1	3	6		4	8	2	

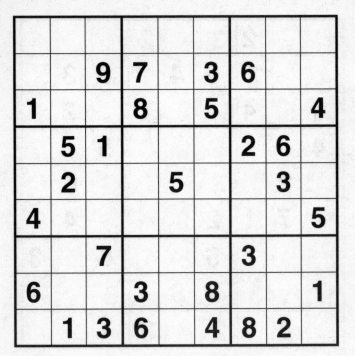

 86

			3		2			
		7				1		
	5			8			9	
3			5	9	6			4
		1	8		7	6		
9			1	2	4			8
	6			5			3	
		3				8		
			2		3			

87 

				6			8	2
		3	5	2				
	4					9		
6					2			1
3	1						2	
9					4			7
	3					8		
		1	6	8				
				3			4	6

88

					4			8
	5		2					6
				6	3		5	
	2			8		5		7
		3	4			2		
9		8				6		
			5	4	8			3
		2						
3	8		7			1		

					5			
3			7		8	4		
		4				1	7	
	9	7					8	4
	1	3						
5			3				1	
	4			2	6	8		
7	6	5		8	3			
8	3		4				5	

	2						5	
			3	5	8			
		6	2		1	3		
	7	3				8	4	
1			7		4			3
	9	4				5	1	
		5	8		7	6		
			1	9	3			
	3						9	

91

	1						9	
			2		6			
		4				5		
		1	3		9	2		
	6						5	
2			1		5			7
		9	6		3	7		
	3	7		5		6	8	
	5		4		8		3	

		6				9		
5		7				1		3
			9		1			
	8	9	5		2	3	1	
			6		8			
	6	3	7		9	8	4	
			4		5			
3		2				4		9
		5				6		

2				8				
					4	8	9	
	8			3		7	1	
		9	8				5	6
				6		9		
		2	5				4	8
	6			9		5	7	
					5	2	8	
9				7				

94

		8			5	4		7
		2						
7	5						3	
			4	8			2	3
			7				8	
3						1		6
9					2		1	
		6	3	5		9		
4			9		8			

95

				2				
		2						3
	5		4		9		1	2
	4	5			1		7	8
	2				5			
	9	3			6		5	1
	1		5		4		3	6
		8						5
				9				

96

1				4				9
		9				6		
	2		1		3		5	
	9		6		4		1	
		8				5		
	7		8		1		9	
	4		5		9		6	
		5				1		
3				6				5

97

		3			5		7	
6	7	9		4				5
		4		1	7			
7		8				9		4
			2	8		7		
2				6		1	3	8
	1		8			2		

98

	6	5			7	4		
			8		2		6	
6						7	5	
	5	2	1					
		9		7		3		
5			4	2			7	
2				3			9	
9	7	4			5			

99

	3					2		
6			4		7			
				9	8		5	
	6			4		9	8	
		3	9		2		6	
	4	1		6				
3			1					7
		6	7	8			2	
						4		

100

		2				1		
								6
6			1	8	2		7	
		4		7		2		1
		6	2		1		3	
		5		4				
1			3					5
		8		1				
	6		7			9		

Solutions

1

4	2	7	5	8	3	9	6	1
6	9	1	7	2	4	5	3	8
5	8	3	1	9	6	7	2	4
7	4	2	9	5	1	3	8	6
9	3	6	8	4	2	1	7	5
8	1	5	3	6	7	2	4	9
1	6	8	2	3	9	4	5	7
3	5	9	4	7	8	6	1	2
2	7	4	6	1	5	8	9	3

2

2	8	7	1	3	6	5	4	9
1	6	3	9	5	4	7	8	2
5	4	9	8	2	7	3	1	6
3	2	1	7	4	5	9	6	8
8	9	5	6	1	2	4	3	7
6	7	4	3	8	9	2	5	1
7	3	2	5	6	8	1	9	4
9	5	8	4	7	1	6	2	3
4	1	6	2	9	3	8	7	5

3

1	9	3	2	4	8	6	7	5
4	5	2	9	7	6	1	8	3
6	7	8	5	3	1	2	9	4
2	3	4	6	9	7	5	1	8
5	8	6	1	2	3	7	4	9
7	1	9	8	5	4	3	6	2
9	6	5	4	1	2	8	3	7
3	4	1	7	8	5	9	2	6
8	2	7	3	6	9	4	5	1

4

5	8	2	9	4	1	7	3	6
9	6	3	7	8	5	2	1	4
4	1	7	2	3	6	8	9	5
1	7	6	8	5	3	9	4	2
2	5	9	4	1	7	6	8	3
3	4	8	6	2	9	5	7	1
7	9	1	3	6	2	4	5	8
6	3	4	5	9	8	1	2	7
8	2	5	1	7	4	3	6	9

5

7	2	6	5	3	1	4	8	9
4	5	1	6	9	8	7	3	2
3	8	9	4	2	7	5	6	1
9	4	5	7	6	2	3	1	8
8	7	2	1	5	3	9	4	6
1	6	3	8	4	9	2	7	5
2	3	7	9	1	6	8	5	4
5	1	8	2	7	4	6	9	3
6	9	4	3	8	5	1	2	7

6

7	8	1	9	2	6	3	4	5
9	6	4	3	7	5	1	8	2
3	5	2	8	1	4	6	9	7
6	2	8	4	5	1	7	3	9
4	7	5	2	3	9	8	1	6
1	9	3	7	6	8	2	5	4
2	1	7	5	9	3	4	6	8
8	3	9	6	4	7	5	2	1
5	4	6	1	8	2	9	7	3

7

5	2	6	7	9	8	4	1	3
8	1	9	6	4	3	7	2	5
3	4	7	2	5	1	6	8	9
4	9	3	8	1	2	5	7	6
6	7	2	5	3	4	1	9	8
1	5	8	9	7	6	3	4	2
2	6	4	3	8	7	9	5	1
7	8	5	1	6	9	2	3	4
9	3	1	4	2	5	8	6	7

8

8	3	4	1	6	7	9	5	2
7	2	9	3	4	5	1	8	6
6	1	5	2	8	9	3	7	4
4	5	1	6	3	2	8	9	7
3	7	6	9	5	8	2	4	1
9	8	2	4	7	1	6	3	5
1	4	8	7	2	3	5	6	9
2	6	3	5	9	4	7	1	8
5	9	7	8	1	6	4	2	3

9

1	4	8	7	5	9	3	2	6
9	7	3	4	6	2	1	5	8
2	6	5	8	3	1	7	9	4
7	2	9	6	1	5	8	4	3
4	3	6	2	7	8	5	1	9
8	5	1	3	9	4	2	6	7
6	8	4	5	2	7	9	3	1
3	9	2	1	8	6	4	7	5
5	1	7	9	4	3	6	8	2

10

2	9	5	1	3	4	6	8	7
8	4	3	5	6	7	2	1	9
7	6	1	2	8	9	4	5	3
4	5	7	3	9	1	8	2	6
6	8	2	7	4	5	3	9	1
1	3	9	6	2	8	7	4	5
3	1	8	4	5	6	9	7	2
9	7	6	8	1	2	5	3	4
5	2	4	9	7	3	1	6	8

11

7	2	9	3	4	5	1	8	6
5	8	3	1	9	6	2	7	4
4	6	1	7	8	2	5	3	9
3	9	7	4	5	1	8	6	2
8	1	6	9	2	3	7	4	5
2	4	5	6	7	8	3	9	1
1	7	8	5	6	9	4	2	3
9	5	2	8	3	4	6	1	7
6	3	4	2	1	7	9	5	8

12

5	7	3	8	2	1	6	9	4
9	1	2	6	3	4	8	7	5
8	4	6	9	5	7	1	3	2
1	8	9	4	7	5	2	6	3
4	2	5	3	1	6	7	8	9
3	6	7	2	9	8	4	5	1
2	3	8	7	4	9	5	1	6
6	9	1	5	8	2	3	4	7
7	5	4	1	6	3	9	2	8

13

4	3	7	6	1	2	8	5	9
8	1	2	5	9	3	4	6	7
6	5	9	8	4	7	1	3	2
7	6	1	2	5	4	3	9	8
5	4	8	1	3	9	2	7	6
2	9	3	7	6	8	5	4	1
3	2	4	9	7	1	6	8	5
9	8	6	3	2	5	7	1	4
1	7	5	4	8	6	9	2	3

14

1	5	3	8	4	7	9	6	2
8	6	2	9	1	5	3	7	4
4	7	9	6	2	3	5	1	8
2	4	8	7	5	6	1	9	3
5	1	7	4	3	9	2	8	6
3	9	6	2	8	1	4	5	7
6	2	1	5	7	4	8	3	9
7	3	4	1	9	8	6	2	5
9	8	5	3	6	2	7	4	1

15

8	5	7	2	1	3	4	9	6
1	4	6	5	7	9	2	8	3
3	9	2	4	6	8	7	5	1
4	6	8	7	2	1	9	3	5
2	3	5	8	9	6	1	7	4
7	1	9	3	5	4	8	6	2
6	2	4	9	3	7	5	1	8
5	7	1	6	8	2	3	4	9
9	8	3	1	4	5	6	2	7

16

6	7	3	1	4	9	8	5	2
1	5	2	3	6	8	7	4	9
9	8	4	2	7	5	1	6	3
4	2	7	5	1	6	9	3	8
5	1	8	9	3	2	4	7	6
3	9	6	7	8	4	2	1	5
2	3	1	8	5	7	6	9	4
8	6	5	4	9	1	3	2	7
7	4	9	6	2	3	5	8	1

17

8	5	2	9	1	3	4	6	7
9	4	3	5	6	7	8	2	1
1	7	6	4	8	2	9	3	5
2	6	5	1	3	9	7	8	4
7	1	9	8	2	4	3	5	6
3	8	4	6	7	5	1	9	2
5	3	7	2	4	8	6	1	9
4	9	1	3	5	6	2	7	8
6	2	8	7	9	1	5	4	3

18

8	5	7	6	1	2	4	3	9
1	2	3	4	5	9	7	8	6
4	9	6	7	8	3	2	1	5
7	6	8	2	3	4	5	9	1
5	1	2	9	7	8	3	6	4
9	3	4	1	6	5	8	2	7
6	8	9	3	4	7	1	5	2
2	4	5	8	9	1	6	7	3
3	7	1	5	2	6	9	4	8

19

4	1	5	9	2	6	8	3	7
7	2	8	3	4	1	5	9	6
3	6	9	5	8	7	4	2	1
6	5	4	7	3	9	1	8	2
8	7	1	4	5	2	9	6	3
2	9	3	6	1	8	7	4	5
1	8	7	2	6	4	3	5	9
5	4	2	1	9	3	6	7	8
9	3	6	8	7	5	2	1	4

20

9	1	8	2	5	4	6	3	7
4	5	7	8	6	3	1	9	2
3	2	6	9	1	7	4	8	5
2	8	9	6	3	1	7	5	4
7	3	1	4	8	5	9	2	6
5	6	4	7	2	9	3	1	8
1	4	3	5	7	2	8	6	9
8	7	2	1	9	6	5	4	3
6	9	5	3	4	8	2	7	1

21

9	3	5	7	2	8	6	4	1
4	1	2	9	6	5	7	3	8
6	7	8	1	4	3	5	2	9
3	8	6	2	7	4	1	9	5
2	9	1	5	3	6	8	7	4
5	4	7	8	9	1	3	6	2
1	2	3	6	8	9	4	5	7
8	6	9	4	5	7	2	1	3
7	5	4	3	1	2	9	8	6

22

1	8	2	7	6	5	4	9	3
6	9	4	3	8	1	2	5	7
5	3	7	9	4	2	1	8	6
3	2	5	4	9	8	7	6	1
8	1	6	5	2	7	3	4	9
7	4	9	6	1	3	8	2	5
4	5	1	2	3	9	6	7	8
2	7	3	8	5	6	9	1	4
9	6	8	1	7	4	5	3	2

23

5	8	4	9	2	7	1	3	6
6	1	7	8	3	5	2	9	4
2	3	9	6	1	4	7	8	5
9	7	6	3	4	2	8	5	1
8	4	5	1	7	6	3	2	9
3	2	1	5	9	8	6	4	7
4	5	2	7	6	3	9	1	8
7	9	8	2	5	1	4	6	3
1	6	3	4	8	9	5	7	2

24

8	6	4	5	9	3	2	1	7
2	3	5	1	4	7	6	9	8
9	7	1	2	6	8	5	4	3
4	2	9	6	8	1	7	3	5
1	8	6	3	7	5	9	2	4
7	5	3	4	2	9	8	6	1
3	4	8	9	5	2	1	7	6
6	9	7	8	1	4	3	5	2
5	1	2	7	3	6	4	8	9

Solutions

25

1	8	3	5	6	4	7	2	9
6	2	4	9	3	7	8	1	5
5	7	9	8	1	2	4	3	6
8	1	7	6	2	5	9	4	3
2	4	5	7	9	3	6	8	1
9	3	6	1	4	8	5	7	2
7	9	8	2	5	1	3	6	4
4	5	2	3	7	6	1	9	8
3	6	1	4	8	9	2	5	7

26

7	9	5	4	2	6	3	8	1
3	6	4	7	1	8	2	5	9
2	1	8	3	9	5	7	6	4
6	5	7	1	8	4	9	3	2
4	8	9	6	3	2	1	7	5
1	3	2	5	7	9	8	4	6
9	7	6	2	5	3	4	1	8
5	2	1	8	4	7	6	9	3
8	4	3	9	6	1	5	2	7

27

8	4	9	7	5	6	3	2	1
1	3	5	9	2	8	7	4	6
2	7	6	4	1	3	9	5	8
4	8	1	5	3	9	2	6	7
7	5	3	8	6	2	4	1	9
6	9	2	1	4	7	8	3	5
9	6	4	3	8	1	5	7	2
3	2	8	6	7	5	1	9	4
5	1	7	2	9	4	6	8	3

28

9	6	8	2	3	5	7	4	1
3	7	4	9	6	1	8	5	2
5	2	1	4	8	7	6	9	3
8	4	7	1	5	2	9	3	6
1	9	2	6	7	3	4	8	5
6	3	5	8	9	4	1	2	7
2	1	9	3	4	6	5	7	8
7	8	3	5	1	9	2	6	4
4	5	6	7	2	8	3	1	9

29

5	8	7	1	6	4	2	9	3
9	3	4	7	2	8	1	6	5
2	1	6	3	9	5	8	4	7
3	4	2	6	1	7	9	5	8
8	6	1	9	5	3	4	7	2
7	5	9	4	8	2	6	3	1
4	2	8	5	7	6	3	1	9
1	7	3	2	4	9	5	8	6
6	9	5	8	3	1	7	2	4

30

2	6	4	9	8	5	3	1	7
7	3	8	2	1	4	6	9	5
9	1	5	3	7	6	8	4	2
8	2	1	6	9	7	4	5	3
4	5	3	1	2	8	9	7	6
6	9	7	4	5	3	2	8	1
5	4	2	7	3	9	1	6	8
1	8	6	5	4	2	7	3	9
3	7	9	8	6	1	5	2	4

31

7	2	8	3	9	4	6	5	1
6	4	1	7	8	5	2	9	3
9	5	3	6	1	2	7	8	4
8	7	2	4	5	3	9	1	6
1	3	4	9	6	7	5	2	8
5	9	6	8	2	1	4	3	7
2	6	9	1	4	8	3	7	5
3	1	5	2	7	6	8	4	9
4	8	7	5	3	9	1	6	2

32

8	9	5	4	3	1	7	2	6
1	4	2	9	6	7	5	8	3
6	3	7	2	5	8	1	9	4
4	1	8	3	7	6	9	5	2
9	7	6	5	2	4	3	1	8
2	5	3	8	1	9	6	4	7
7	6	9	1	8	2	4	3	5
3	8	1	6	4	5	2	7	9
5	2	4	7	9	3	8	6	1

33

6	8	7	5	1	3	4	9	2
2	5	9	4	6	7	8	3	1
3	4	1	9	2	8	6	5	7
7	9	2	8	5	4	1	6	3
5	6	4	3	7	1	2	8	9
1	3	8	6	9	2	7	4	5
8	1	3	7	4	9	5	2	6
4	2	6	1	3	5	9	7	8
9	7	5	2	8	6	3	1	4

34

2	7	1	5	6	8	4	9	3
3	6	5	9	1	4	2	7	8
4	9	8	2	7	3	6	5	1
1	4	7	8	9	5	3	2	6
5	3	9	4	2	6	8	1	7
8	2	6	1	3	7	5	4	9
9	8	2	6	5	1	7	3	4
6	1	3	7	4	2	9	8	5
7	5	4	3	8	9	1	6	2

35

4	1	7	3	6	9	8	2	5
5	8	3	2	4	1	7	6	9
2	6	9	7	8	5	3	4	1
9	7	8	6	5	3	2	1	4
1	5	4	9	2	8	6	3	7
3	2	6	4	1	7	9	5	8
7	9	2	5	3	4	1	8	6
6	4	1	8	7	2	5	9	3
8	3	5	1	9	6	4	7	2

36

7	4	3	1	8	5	6	2	9
9	2	1	6	3	7	4	5	8
6	8	5	4	9	2	1	3	7
2	3	8	7	6	4	5	9	1
4	5	9	2	1	8	3	7	6
1	6	7	3	5	9	8	4	2
3	9	4	8	7	6	2	1	5
8	7	2	5	4	1	9	6	3
5	1	6	9	2	3	7	8	4

Solutions

37

7	1	5	8	9	4	3	2	6
9	8	3	6	1	2	4	7	5
6	4	2	7	5	3	9	8	1
5	9	4	3	2	1	8	6	7
2	7	8	5	6	9	1	4	3
3	6	1	4	8	7	5	9	2
4	2	7	9	3	5	6	1	8
8	5	9	1	7	6	2	3	4
1	3	6	2	4	8	7	5	9

38

5	4	6	7	9	8	1	3	2
3	9	1	5	6	2	4	7	8
8	7	2	1	3	4	5	9	6
6	1	8	9	7	5	2	4	3
9	2	7	8	4	3	6	1	5
4	3	5	2	1	6	9	8	7
2	5	3	4	8	1	7	6	9
7	6	4	3	5	9	8	2	1
1	8	9	6	2	7	3	5	4

39

3	8	4	7	5	2	1	9	6
2	7	5	6	1	9	3	8	4
1	9	6	8	3	4	5	2	7
8	6	2	9	4	5	7	1	3
4	3	7	2	8	1	9	6	5
9	5	1	3	7	6	8	4	2
5	1	3	4	6	8	2	7	9
7	4	9	1	2	3	6	5	8
6	2	8	5	9	7	4	3	1

40

7	9	8	6	2	4	5	3	1
3	6	5	7	9	1	4	8	2
2	4	1	8	3	5	7	9	6
4	8	7	3	6	2	1	5	9
5	2	3	1	7	9	8	6	4
6	1	9	4	5	8	2	7	3
8	5	6	2	4	3	9	1	7
1	7	2	9	8	6	3	4	5
9	3	4	5	1	7	6	2	8

41

1	7	2	8	3	4	5	9	6
5	6	3	9	1	2	7	4	8
8	4	9	7	5	6	3	2	1
4	8	6	1	2	7	9	3	5
3	1	5	4	8	9	6	7	2
9	2	7	5	6	3	8	1	4
7	9	8	2	4	5	1	6	3
2	3	1	6	9	8	4	5	7
6	5	4	3	7	1	2	8	9

42

5	4	8	7	9	1	6	3	2
7	3	1	8	6	2	4	9	5
6	9	2	5	4	3	1	7	8
2	6	9	3	7	5	8	4	1
1	5	4	9	2	8	3	6	7
8	7	3	4	1	6	2	5	9
9	2	5	1	3	4	7	8	6
3	8	6	2	5	7	9	1	4
4	1	7	6	8	9	5	2	3

43

3	6	5	4	7	2	9	8	1
1	4	8	6	5	9	3	2	7
7	9	2	1	8	3	4	6	5
4	1	3	9	6	8	7	5	2
9	5	6	2	1	7	8	3	4
8	2	7	5	3	4	1	9	6
6	7	4	8	9	5	2	1	3
2	8	1	3	4	6	5	7	9
5	3	9	7	2	1	6	4	8

44

1	4	8	5	3	9	6	2	7
2	9	6	1	4	7	3	8	5
7	3	5	2	8	6	1	4	9
9	7	3	6	2	4	8	5	1
5	2	1	8	9	3	7	6	4
6	8	4	7	5	1	2	9	3
8	1	9	4	7	2	5	3	6
4	6	2	3	1	5	9	7	8
3	5	7	9	6	8	4	1	2

45

8	9	3	6	1	2	5	4	7
2	7	1	3	5	4	6	8	9
5	6	4	7	8	9	2	1	3
1	8	6	5	9	3	4	7	2
9	3	2	1	4	7	8	6	5
7	4	5	8	2	6	3	9	1
3	1	7	2	6	8	9	5	4
4	2	8	9	7	5	1	3	6
6	5	9	4	3	1	7	2	8

46

6	1	3	4	2	8	7	9	5
4	9	5	1	3	7	8	2	6
7	2	8	5	6	9	4	1	3
2	6	1	7	5	4	3	8	9
5	8	9	3	1	2	6	7	4
3	7	4	8	9	6	1	5	2
1	5	6	9	8	3	2	4	7
9	3	7	2	4	1	5	6	8
8	4	2	6	7	5	9	3	1

47

5	1	4	3	9	6	7	8	2
3	7	2	4	1	8	6	5	9
6	9	8	2	7	5	1	4	3
9	5	7	8	2	1	3	6	4
4	6	3	7	5	9	8	2	1
8	2	1	6	4	3	9	7	5
2	3	5	9	8	7	4	1	6
7	4	9	1	6	2	5	3	8
1	8	6	5	3	4	2	9	7

48

6	1	4	7	8	5	3	2	9
5	2	7	9	6	3	1	8	4
3	8	9	2	4	1	7	5	6
2	5	6	4	7	9	8	1	3
7	9	3	8	1	6	5	4	2
1	4	8	3	5	2	9	6	7
4	7	5	6	3	8	2	9	1
8	6	2	1	9	7	4	3	5
9	3	1	5	2	4	6	7	8

Solutions

49

5	9	7	6	3	4	8	1	2
1	6	4	2	7	8	9	5	3
2	8	3	1	5	9	6	4	7
8	4	2	3	9	5	7	6	1
6	5	9	8	1	7	3	2	4
7	3	1	4	6	2	5	8	9
9	1	8	7	4	6	2	3	5
4	7	6	5	2	3	1	9	8
3	2	5	9	8	1	4	7	6

50

3	8	2	4	5	1	9	6	7
7	6	4	9	3	8	1	2	5
5	1	9	2	7	6	3	4	8
2	7	6	8	4	3	5	1	9
1	4	3	5	2	9	7	8	6
9	5	8	6	1	7	4	3	2
8	9	7	1	6	4	2	5	3
6	2	1	3	9	5	8	7	4
4	3	5	7	8	2	6	9	1

51

4	9	1	5	3	6	2	8	7
6	3	8	2	4	7	5	1	9
5	2	7	9	1	8	3	6	4
2	5	9	1	8	3	4	7	6
7	1	3	4	6	9	8	5	2
8	6	4	7	5	2	9	3	1
1	8	5	6	2	4	7	9	3
9	4	6	3	7	5	1	2	8
3	7	2	8	9	1	6	4	5

52

4	8	9	5	3	2	6	7	1
1	5	7	4	8	6	3	2	9
6	2	3	1	9	7	5	8	4
9	6	2	7	5	3	4	1	8
3	4	8	6	1	9	2	5	7
5	7	1	8	2	4	9	3	6
2	9	4	3	7	1	8	6	5
8	1	6	2	4	5	7	9	3
7	3	5	9	6	8	1	4	2

53

1	4	5	7	2	3	9	8	6
7	2	3	8	6	9	5	4	1
8	6	9	5	4	1	2	7	3
4	3	8	9	1	2	7	6	5
5	1	2	6	8	7	3	9	4
6	9	7	3	5	4	1	2	8
9	7	1	4	3	8	6	5	2
3	5	4	2	9	6	8	1	7
2	8	6	1	7	5	4	3	9

54

1	5	9	4	6	3	8	2	7
3	7	2	5	8	9	4	1	6
6	8	4	2	1	7	3	5	9
5	3	8	9	2	1	7	6	4
7	9	1	6	3	4	5	8	2
2	4	6	8	7	5	1	9	3
9	2	5	7	4	8	6	3	1
8	1	7	3	9	6	2	4	5
4	6	3	1	5	2	9	7	8

55

3	4	5	1	2	6	7	8	9
1	9	6	8	7	4	3	5	2
7	2	8	5	9	3	4	1	6
6	1	7	3	5	2	8	9	4
2	8	9	4	1	7	5	6	3
5	3	4	9	6	8	2	7	1
8	5	1	2	3	9	6	4	7
9	6	2	7	4	5	1	3	8
4	7	3	6	8	1	9	2	5

56

4	5	3	7	8	1	2	9	6
7	1	8	6	9	2	3	5	4
2	9	6	5	4	3	8	1	7
9	4	7	8	3	6	5	2	1
6	3	5	1	2	4	7	8	9
1	8	2	9	5	7	6	4	3
5	2	1	3	6	9	4	7	8
8	6	9	4	7	5	1	3	2
3	7	4	2	1	8	9	6	5

57

5	2	1	8	6	7	3	4	9
6	7	4	9	1	3	5	2	8
9	3	8	5	2	4	1	6	7
1	4	7	6	5	2	8	9	3
3	5	2	4	9	8	7	1	6
8	9	6	3	7	1	4	5	2
7	6	3	1	4	9	2	8	5
4	8	5	2	3	6	9	7	1
2	1	9	7	8	5	6	3	4

58

3	5	7	6	2	8	1	4	9
6	4	1	7	9	3	8	2	5
9	2	8	5	1	4	6	3	7
4	3	2	1	7	5	9	6	8
5	7	9	8	4	6	2	1	3
1	8	6	2	3	9	5	7	4
2	6	4	9	8	7	3	5	1
8	1	3	4	5	2	7	9	6
7	9	5	3	6	1	4	8	2

59

6	8	9	2	3	7	4	5	1
2	5	4	6	1	9	8	3	7
1	7	3	8	5	4	2	9	6
7	2	5	9	8	3	6	1	4
8	3	6	5	4	1	9	7	2
4	9	1	7	2	6	3	8	5
3	6	2	1	9	5	7	4	8
9	1	8	4	7	2	5	6	3
5	4	7	3	6	8	1	2	9

60

3	6	7	8	5	9	4	2	1
4	9	1	7	6	2	3	5	8
5	8	2	3	4	1	9	7	6
8	5	6	1	3	4	2	9	7
1	7	3	2	9	8	5	6	4
2	4	9	6	7	5	8	1	3
9	1	5	4	8	7	6	3	2
6	2	4	9	1	3	7	8	5
7	3	8	5	2	6	1	4	9

Solutions

61

1	3	9	7	5	8	4	2	6
6	5	4	2	3	9	8	1	7
8	2	7	1	4	6	9	5	3
7	8	2	9	6	1	5	3	4
4	1	3	5	2	7	6	9	8
9	6	5	4	8	3	2	7	1
2	4	1	8	7	5	3	6	9
3	9	8	6	1	2	7	4	5
5	7	6	3	9	4	1	8	2

62

8	6	5	9	1	4	3	7	2
2	1	7	5	6	3	4	8	9
3	9	4	8	2	7	6	5	1
5	3	2	7	9	1	8	4	6
1	4	8	6	3	2	7	9	5
6	7	9	4	8	5	2	1	3
4	8	1	3	5	6	9	2	7
9	5	3	2	7	8	1	6	4
7	2	6	1	4	9	5	3	8

63

2	7	6	3	5	1	9	8	4
8	1	3	4	7	9	2	6	5
9	5	4	2	8	6	3	1	7
1	2	5	9	6	7	4	3	8
3	8	9	5	4	2	1	7	6
6	4	7	8	1	3	5	9	2
5	9	2	7	3	8	6	4	1
7	3	1	6	2	4	8	5	9
4	6	8	1	9	5	7	2	3

64

2	9	7	6	5	4	8	1	3
6	3	8	1	7	2	4	5	9
5	4	1	8	3	9	2	7	6
8	7	2	4	6	3	1	9	5
3	1	5	2	9	8	6	4	7
9	6	4	7	1	5	3	8	2
7	5	6	3	8	1	9	2	4
1	2	9	5	4	6	7	3	8
4	8	3	9	2	7	5	6	1

65

4	9	3	8	7	5	1	6	2
5	1	6	3	2	9	4	8	7
8	2	7	6	1	4	9	5	3
3	5	1	9	6	2	8	7	4
2	6	8	7	4	3	5	1	9
9	7	4	5	8	1	2	3	6
1	4	5	2	3	6	7	9	8
7	3	2	1	9	8	6	4	5
6	8	9	4	5	7	3	2	1

66

5	7	3	8	6	4	9	1	2
2	9	6	3	1	5	8	4	7
1	8	4	2	9	7	3	6	5
6	2	8	4	3	1	7	5	9
9	5	7	6	2	8	4	3	1
4	3	1	7	5	9	6	2	8
8	4	5	1	7	3	2	9	6
7	1	2	9	4	6	5	8	3
3	6	9	5	8	2	1	7	4

67

2	3	7	5	9	8	6	4	1
9	6	1	3	4	2	7	8	5
8	4	5	1	6	7	9	2	3
6	8	4	2	1	9	3	5	7
5	2	9	7	8	3	1	6	4
7	1	3	6	5	4	2	9	8
3	5	8	9	7	6	4	1	2
4	7	6	8	2	1	5	3	9
1	9	2	4	3	5	8	7	6

68

4	1	3	9	7	2	6	5	8
9	8	6	5	4	3	7	1	2
5	7	2	1	8	6	4	9	3
1	3	7	8	9	4	2	6	5
6	2	9	7	3	5	8	4	1
8	5	4	2	6	1	9	3	7
2	4	8	3	5	9	1	7	6
3	9	1	6	2	7	5	8	4
7	6	5	4	1	8	3	2	9

69

4	7	6	2	1	3	8	9	5
1	2	8	6	9	5	7	4	3
3	5	9	4	8	7	2	1	6
2	1	7	3	5	8	9	6	4
8	4	3	9	6	2	5	7	1
6	9	5	1	7	4	3	2	8
9	8	4	5	2	6	1	3	7
5	6	2	7	3	1	4	8	9
7	3	1	8	4	9	6	5	2

70

9	7	5	3	2	4	8	6	1
3	6	4	8	1	5	9	7	2
2	8	1	9	7	6	5	3	4
8	9	7	2	6	1	4	5	3
4	2	6	5	3	7	1	9	8
1	5	3	4	9	8	7	2	6
7	3	8	6	4	9	2	1	5
6	4	9	1	5	2	3	8	7
5	1	2	7	8	3	6	4	9

71

4	2	3	7	8	9	1	5	6
9	7	1	5	6	4	2	3	8
8	5	6	2	3	1	9	7	4
7	9	5	1	4	8	6	2	3
1	6	4	3	9	2	7	8	5
3	8	2	6	5	7	4	9	1
5	1	7	8	2	6	3	4	9
2	3	9	4	1	5	8	6	7
6	4	8	9	7	3	5	1	2

72

2	4	9	1	6	5	3	8	7
3	8	1	9	7	4	2	5	6
7	6	5	2	3	8	1	4	9
4	2	7	5	8	1	6	9	3
6	5	8	3	9	2	7	1	4
9	1	3	7	4	6	8	2	5
8	3	6	4	2	9	5	7	1
5	7	4	8	1	3	9	6	2
1	9	2	6	5	7	4	3	8

Solutions

73

3	9	4	5	8	7	1	6	2
8	5	1	6	2	4	7	3	9
6	2	7	9	3	1	5	4	8
1	6	2	8	9	3	4	5	7
4	8	9	7	1	5	3	2	6
5	7	3	2	4	6	8	9	1
7	3	6	1	5	9	2	8	4
2	1	5	4	6	8	9	7	3
9	4	8	3	7	2	6	1	5

74

9	1	2	4	8	6	7	5	3
5	6	4	7	9	3	1	8	2
7	3	8	2	5	1	9	4	6
6	2	1	3	7	8	4	9	5
3	5	9	1	2	4	6	7	8
4	8	7	5	6	9	3	2	1
2	9	5	6	1	7	8	3	4
1	7	3	8	4	5	2	6	9
8	4	6	9	3	2	5	1	7

75

2	4	1	5	8	6	9	7	3
5	7	8	3	1	9	6	2	4
6	3	9	7	2	4	8	5	1
4	8	7	1	9	3	2	6	5
3	9	5	8	6	2	1	4	7
1	6	2	4	5	7	3	8	9
8	1	3	2	7	5	4	9	6
9	5	4	6	3	8	7	1	2
7	2	6	9	4	1	5	3	8

76

1	2	8	6	3	5	9	4	7
9	3	4	8	7	2	5	6	1
7	5	6	1	9	4	3	8	2
6	8	5	3	2	7	4	1	9
4	7	3	9	1	6	2	5	8
2	9	1	5	4	8	7	3	6
5	4	2	7	8	1	6	9	3
3	1	7	4	6	9	8	2	5
8	6	9	2	5	3	1	7	4

77

1	9	4	7	2	3	6	8	5
6	7	2	8	1	5	9	3	4
8	5	3	4	6	9	2	7	1
3	6	8	9	4	7	1	5	2
2	1	9	5	3	6	8	4	7
7	4	5	1	8	2	3	9	6
4	2	6	3	7	8	5	1	9
5	3	1	6	9	4	7	2	8
9	8	7	2	5	1	4	6	3

78

9	5	1	4	3	2	6	8	7
2	6	8	7	5	1	3	4	9
4	3	7	9	6	8	2	5	1
1	7	5	6	8	4	9	3	2
8	4	6	2	9	3	1	7	5
3	9	2	1	7	5	8	6	4
7	8	9	5	2	6	4	1	3
5	1	3	8	4	9	7	2	6
6	2	4	3	1	7	5	9	8

79

8	4	3	6	5	7	1	2	9
2	9	6	1	4	3	7	8	5
7	5	1	2	9	8	4	3	6
4	3	8	5	2	1	9	6	7
1	6	9	7	8	4	2	5	3
5	7	2	3	6	9	8	4	1
6	2	7	4	1	5	3	9	8
9	1	4	8	3	6	5	7	2
3	8	5	9	7	2	6	1	4

80

4	5	3	1	7	6	8	2	9
8	2	1	3	9	5	6	4	7
7	6	9	4	8	2	5	1	3
9	4	2	6	5	7	3	8	1
3	1	8	9	2	4	7	6	5
5	7	6	8	3	1	2	9	4
2	3	4	5	1	8	9	7	6
6	8	5	7	4	9	1	3	2
1	9	7	2	6	3	4	5	8

81

6	7	2	9	5	4	8	3	1
9	5	1	6	8	3	2	7	4
3	8	4	1	2	7	6	5	9
4	6	5	2	7	8	9	1	3
2	1	3	4	9	5	7	8	6
7	9	8	3	1	6	5	4	2
1	4	7	5	6	2	3	9	8
5	3	6	8	4	9	1	2	7
8	2	9	7	3	1	4	6	5

82

7	6	2	9	4	5	3	1	8
9	3	5	7	8	1	6	4	2
8	1	4	6	3	2	9	7	5
1	9	3	5	2	8	7	6	4
5	8	6	3	7	4	1	2	9
2	4	7	1	9	6	8	5	3
3	2	9	4	1	7	5	8	6
6	7	8	2	5	3	4	9	1
4	5	1	8	6	9	2	3	7

83

6	7	8	5	9	3	4	1	2
1	3	5	4	2	8	6	9	7
2	9	4	1	7	6	5	8	3
8	6	7	9	3	2	1	4	5
3	5	9	6	1	4	2	7	8
4	1	2	7	8	5	9	3	6
7	4	6	3	5	9	8	2	1
9	8	1	2	6	7	3	5	4
5	2	3	8	4	1	7	6	9

84

3	6	2	7	9	8	4	5	1
5	1	7	6	4	2	8	3	9
9	8	4	1	3	5	7	2	6
4	5	3	8	7	6	9	1	2
8	2	9	4	1	3	5	6	7
6	7	1	2	5	9	3	4	8
1	9	8	5	2	4	6	7	3
7	4	6	3	8	1	2	9	5
2	3	5	9	6	7	1	8	4

85

7	6	5	9	4	2	1	8	3
8	4	9	7	1	3	6	5	2
1	3	2	8	6	5	7	9	4
3	5	1	4	8	9	2	6	7
9	2	6	1	5	7	4	3	8
4	7	8	2	3	6	9	1	5
2	8	7	5	9	1	3	4	6
6	9	4	3	2	8	5	7	1
5	1	3	6	7	4	8	2	9

86

1	9	4	3	6	2	5	8	7
8	3	7	9	4	5	1	6	2
6	5	2	7	8	1	4	9	3
3	2	8	5	9	6	7	1	4
5	4	1	8	3	7	6	2	9
9	7	6	1	2	4	3	5	8
7	6	9	4	5	8	2	3	1
2	1	3	6	7	9	8	4	5
4	8	5	2	1	3	9	7	6

87

1	9	7	4	6	3	5	8	2
8	6	3	5	2	9	7	1	4
5	4	2	1	7	8	9	6	3
6	7	4	8	5	2	3	9	1
3	1	5	7	9	6	4	2	8
9	2	8	3	1	4	6	5	7
2	3	6	9	4	1	8	7	5
4	5	1	6	8	7	2	3	9
7	8	9	2	3	5	1	4	6

88

2	3	6	1	5	4	9	7	8
8	5	4	2	7	9	3	1	6
1	9	7	8	6	3	4	5	2
4	2	1	9	8	6	5	3	7
5	6	3	4	1	7	2	8	9
9	7	8	3	2	5	6	4	1
6	1	9	5	4	8	7	2	3
7	4	2	6	3	1	8	9	5
3	8	5	7	9	2	1	6	4

89

9	7	8	1	4	5	6	2	3
3	2	1	7	6	8	4	9	5
6	5	4	2	3	9	1	7	8
2	9	7	6	5	1	3	8	4
4	1	3	8	7	2	5	6	9
5	8	6	3	9	4	7	1	2
1	4	9	5	2	6	8	3	7
7	6	5	9	8	3	2	4	1
8	3	2	4	1	7	9	5	6

90

3	2	1	9	7	6	4	5	8
7	4	9	3	5	8	1	2	6
5	8	6	2	4	1	3	7	9
6	7	3	5	1	9	8	4	2
1	5	2	7	8	4	9	6	3
8	9	4	6	3	2	5	1	7
9	1	5	8	2	7	6	3	4
4	6	7	1	9	3	2	8	5
2	3	8	4	6	5	7	9	1

91

8	1	6	5	3	7	4	9	2
7	9	5	2	4	6	8	1	3
3	2	4	8	9	1	5	7	6
5	7	1	3	6	9	2	4	8
9	6	8	7	2	4	3	5	1
2	4	3	1	8	5	9	6	7
4	8	9	6	1	3	7	2	5
1	3	7	9	5	2	6	8	4
6	5	2	4	7	8	1	3	9

92

1	2	6	3	5	7	9	8	4
5	9	7	2	8	4	1	6	3
8	3	4	9	6	1	5	2	7
7	8	9	5	4	2	3	1	6
4	5	1	6	3	8	7	9	2
2	6	3	7	1	9	8	4	5
6	7	8	4	9	5	2	3	1
3	1	2	8	7	6	4	5	9
9	4	5	1	2	3	6	7	8

93

2	9	3	7	8	1	4	6	5
7	1	6	2	5	4	8	9	3
5	8	4	9	3	6	7	1	2
3	4	9	8	2	7	1	5	6
8	5	1	4	6	3	9	2	7
6	7	2	5	1	9	3	4	8
4	6	8	3	9	2	5	7	1
1	3	7	6	4	5	2	8	9
9	2	5	1	7	8	6	3	4

94

1	3	8	2	9	5	4	6	7
6	4	2	1	3	7	8	9	5
7	5	9	8	6	4	2	3	1
5	9	1	4	8	6	7	2	3
2	6	4	7	1	3	5	8	9
3	8	7	5	2	9	1	4	6
9	7	5	6	4	2	3	1	8
8	2	6	3	5	1	9	7	4
4	1	3	9	7	8	6	5	2

95

1	6	4	3	2	8	5	9	7
9	8	2	1	5	7	6	4	3
3	5	7	4	6	9	8	1	2
6	4	5	9	3	1	2	7	8
7	2	1	8	4	5	3	6	9
8	9	3	2	7	6	4	5	1
2	1	9	5	8	4	7	3	6
4	7	8	6	1	3	9	2	5
5	3	6	7	9	2	1	8	4

96

1	5	7	2	4	6	3	8	9
4	3	9	7	8	5	6	2	1
8	2	6	1	9	3	4	5	7
2	9	3	6	5	4	7	1	8
6	1	8	9	2	7	5	3	4
5	7	4	8	3	1	2	9	6
7	4	2	5	1	9	8	6	3
9	6	5	3	7	8	1	4	2
3	8	1	4	6	2	9	7	5

Solutions

97

4	5	2	3	7	8	6	9	1
1	8	3	6	9	5	4	7	2
6	7	9	1	4	2	3	8	5
5	6	4	9	1	7	8	2	3
7	2	8	5	3	6	9	1	4
3	9	1	2	8	4	7	5	6
2	4	5	7	6	9	1	3	8
9	1	6	8	5	3	2	4	7
8	3	7	4	2	1	5	6	9

98

4	2	1	3	5	6	9	8	7
8	6	5	9	1	7	4	3	2
3	9	7	8	4	2	1	6	5
6	3	8	2	9	4	7	5	1
7	5	2	1	6	3	8	4	9
1	4	9	5	7	8	3	2	6
5	1	3	4	2	9	6	7	8
2	8	6	7	3	1	5	9	4
9	7	4	6	8	5	2	1	3

99

7	3	8	6	1	5	2	4	9
6	9	5	4	2	7	8	3	1
1	2	4	3	9	8	7	5	6
2	6	7	5	4	1	9	8	3
8	5	3	9	7	2	1	6	4
9	4	1	8	6	3	5	7	2
3	8	2	1	5	4	6	9	7
4	1	6	7	8	9	3	2	5
5	7	9	2	3	6	4	1	8

100

3	8	2	4	6	7	1	5	9
7	4	1	5	3	9	8	2	6
6	5	9	1	8	2	4	7	3
9	3	4	8	7	5	2	6	1
8	7	6	2	9	1	5	3	4
2	1	5	6	4	3	7	9	8
1	9	7	3	2	4	6	8	5
5	2	8	9	1	6	3	4	7
4	6	3	7	5	8	9	1	2

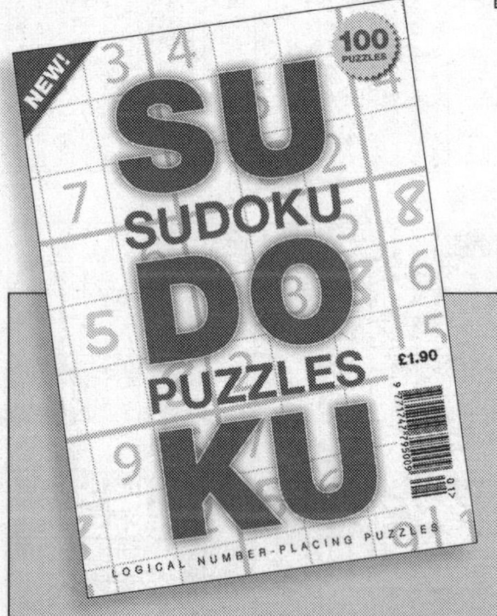

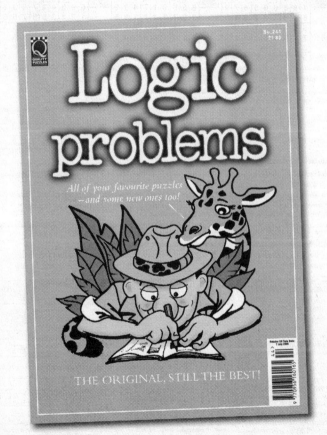

Risk Free Subscription Form

To subscribe to Sudoku Puzzles please complete the form below and send it to:

Sudoku Puzzles Magazine, PO Box 453, Sittingbourne, ME9 8WT

Mr/Mrs/Miss/Ms (please delete as appropriate) **SUP002**

Name: ....

Address: ....

....

Postcode: .... Daytime tel: ....

❑ I would like to subscribe to **Sudoku Puzzles** at £17.07*.

❑ I understand that I may write and cancel up until two weeks after receiving my first trial issue and get my money back in full.

❑ I enclose a cheque/PO made payable to Puzzler Media Ltd.
Or please debit my MasterCard/Visa/Switch/Maestro:

Card No. ☐☐☐☐☐☐☐☐☐☐☐☐☐☐☐☐☐☐☐

Card Valid from ☐☐☐☐ Expires End ☐☐☐☐ Date ☐

Issue No. (Switch only) ☐☐ Signature ☐

*UK offer only. UK 9-issue rate, EU £23.00. Outside EU £27.00. +Nominal charge for overseas customers.
Closing date: **30/9/05**

Please allow up to 14 days for your subscription to be processed. Full money back guarantee if cancellation is within two weeks of receipt of your first issue. Otherwise, money back guarantee on all unmailed issues of Sudoku Puzzles.

Puzzler Media (or via it's agents) may wish to contact you with relevant offers or for marketing purposes. We may also share your information with relevant third parties. Please tick the box if you **DO NOT** wish to be contacted for these purposes, by post or telephone, by us: ❑ or third parties: ❑

Complete this section to subscribe by Direct Debit

❑ Yes, I would like to subscribe by annual Direct Debit and receive **2 FREE** issues in my first year.
Please complete your name and address details and the Direct Debit instruction below:

THE DIRECT DEBIT GUARANTEE

THIS GUARANTEE SHOULD BE RETAINED BY THE PAYER

- This Guarantee is offered by all Banks and Building Societies that take part in the Direct Debit Scheme. The efficiency and security of the Scheme is monitored and protected by your own Bank or Building Society.
- If the amounts to be paid or the payment dates change, Puzzler Media Ltd will notify you 10 working days in advance of your account being debited or as otherwise agreed.
- If an error is made by Puzzler Media Ltd or your Bank or Building Society, you are guaranteed a full and immediate refund from your branch of the amount paid.
- You can cancel a Direct Debit at any time by writing to your Bank or Building Society. Please also send a copy of your letter to us

Instruction to your Bank or Building Society to pay by Direct Debit
Originator's Identification No 3 8 8 0 9 6 — DIRECT Debit

1. Name and full address of your Bank or Building Society

To the Manager (Bank/Building Society) ....

Address ....

.... Postcode ....

2. Name(s) of Account Holder(s) ☐

3. Branch Sort Code ☐☐ ☐☐ ☐☐

4. Bank or Building Society account number ☐☐☐☐☐☐☐☐

5. Puzzler Media reference number (for office use only) ☐

6. Instruction to your Bank or Building Society. Please pay Puzzler Media Ltd Direct Debits from the account detailed in this instruction subject to the safeguards assured by the Direct Debit Guarantee. I understand that this instruction may remain with Puzzler Media Ltd and if so, details will be passed electronically to my Bank/Building Society.

Signature(s) ....

....

Date ....

Banks and Building Societies may not accept Direct Debit instructions from some types of account. (Direct Debit instructions cannot be sent by email or fax)